En mémoire de notre Doris, ma maman formidable
et à Jane, merveilleuse mère de nos enfants.
A.B.

Texte traduit de l'anglais par Isabel Finkenstaedt

Titre de l'ouvrage original : MY MUM
Éditeur original : Random House Children's Books
Copyright © Anthony Browne, 2005
Tous droits réservés
Pour la traduction française : © 2005 Kaléidoscope,
11, rue de Sèvres, 75006 Paris, France
Loi n° 49.956 du 16 juillet 1949 sur les publications
destinées à la jeunesse : mars 2005
Dépôt légal : mai 2006
Imprimé à Singapour

Diffusion l'école des loisirs

www.editions-kaleidoscope.com

Anthony Browne

# Ma maman

kaléidoscope

Elle est bien, ma maman.

Ma maman est une cuisinière extraordinaire,

et une jongleuse prodigieuse.

Elle peint admirablement,

et c'est la femme la plus FORTE du monde.

Elle est vraiment bien, ma maman.

Ma maman a les mains vertes,
elle peut faire pousser N'IMPORTE QUOI.

Et c'est une bonne fée.

Quand je suis triste, elle me fait rire.

Elle chante comme un ange,

et rugit comme un lion.

Elle est vraiment, VRAIMENT bien, ma maman.

Ma maman est belle comme un papillon,

et moelleuse

comme un

fauteuil.

Elle est douce comme un chaton,

et costaude comme un rhinocéros.

Elle est vraiment, VRAIMENT,
VRAIMENT bien, ma maman.

Ma maman pourrait être danseuse,

ou astronaute.

Elle pourrait être vedette de cinéma,

ou grand patron. Mais c'est MA maman.

C'est une SUPERMAMAN !

Et elle me fait rire. Beaucoup.

J'aime ma maman.

Et vous savez quoi ?

# ELLE M'AIME !

(Et elle m'aimera toujours.)